Das Smoothie-Rezeptbuch für Anfänger

50 Smoothie-Rezepte

Elvira Meyer

Alle Rechte vorbehalten.

Haftungsausschluss

INHALTSVERZEICHNIS

EINFÜHRUNG 6

1. MINZE ANANAS SMOOTHIE 7

2. GRÜNE REGENBOGEN-SMOOTHIE-SCHÜSSEL 9

3. TROPISCHE SMOOTHIE-SCHÜSSEL 11

4. KURKUMA-SMOOTHIE-SCHÜSSEL 13

5. CREMIGER MANGO & KOKOS SMOOTHIE 15

6. SUPER BERRY SMOOTHIE 17

7. BLACKBERRY & ROTE BEETE SMOOTHIE 19

8. VITAMIN BOOSTER SMOOTHIE 21

9. BERRY SMOOTHIE WÜRFEL 23

10. PEACH MELBA SMOOTHIE 25

11. BANANEN-, CLEMENTINEN- UND MANGO-SMOOTHIE .. 27

12. AÇAÍ SMOOTHIE 29

13. MANGO & PASSIONSFRUCHT-SMOOTHIE 31

14. WALDFRUCHT & BANANEN-SMOOTHIE 33

15. SMOOTHIE-GELEES MIT EIS 35

16. BANANEN-, HONIG- UND HASELNUSS-SMOOTHIE 38

17. FRÜHSTÜCKS-SUPER-SHAKE 40

18. MANDELMILCH 42

19. EINFACHER SCHOKOLADENFONDANTKUCHEN 44

20. FAUX GRAS MIT TOAST & GURKEN 47

21. ERDBEER ACAI SMOOTHIE..................................50

22. POST WORKOUT GREEN SMOOTHIE..................52

23.SPICED PERSIMMON SMOOTHIE 54

24.GOLDENE RÜBEN-, KAROTTEN- UND TURMERISCHE SMOOTHIE..56

25. SCHOKOLADE COLLAGEN SMOOTHIE 58

26.CASHEW DATE SHAKE (VEGAN, PALEO)..........60

27.DARK CHERRY SMOOTHIE BOWL 62

28. PITAYA SMOOTHIE BOWL..................................64

29. GESUNDER KAKAO, BANANE, PB SMOOTHIE.............66

30. KURKUMA LATTE..68

31.FRUIT & JOGHURT SMOOTHIE 70

32.UNICORN SMOOTHIE 72

33. SCHOKOLADEN-BANANEN-PROTEIN-SMOOTHIE.........75

34.CREAMSICLE BREAKFAST SMOOTHIE 77

35.BERRY-COCONUT SMOOTHIE 79

36. KAROTTEN-SMOOTHIE..81

37.HONEYDEW SMOOTHIE BOWL 83

38. ERDNUSSBUTTER & GELEE SMOOTHIE 85

39.CANTALOUPE SMOOTHIE BOWL........................87

40. JASON MRAZ'S AVOCADO GREEN SMOOTHIE.............89

41.TOFU TROPIC SMOOTHIE 91

42. GUTER SMOOTHIE MIT GRÜNEM TEE 93

43.ORANGE FLACHS SMOOTHIE................................95

44. MEERJUNGFRAU SMOOTHIE BOWL 97

45. MANDEL-MATCHA GREEN SMOOTHIE BOWL 99

46. UNICORN SMOOTHIE 101

47. DREIFACHER MELONEN-SMOOTHIE 104

48. CITRUS BERRY SMOOTHIE 106

49. WASSERMELONEN-KURKUMA-SMOOTHIE 108

50. WIRKLICH GRÜNER SMOOTHIE 110

FAZIT 112

EINFÜHRUNG

Ein Smoothie-Rezept ist ein Getränk, das mit einem Mixer aus püriertem rohem Obst und / oder Gemüse hergestellt wird. Ein Smoothie hat oft eine flüssige Basis wie Wasser, Fruchtsaft, Milchprodukte wie Milch, Joghurt, Eis oder Hüttenkäse.

1. MINZE ANANAS SMOOTHIE

ZUTATEN

- ❖ 200 g Ananas, geschält, entkernt und in Stücke geschnitten

- ❖ ein paar Pfefferminzbonbons gehen

- ❖ 50 g Baby-Spinatblätter

- ❖ 25 g Hafer

- ❖ 2 EL Leinsamen

- ❖ Handvoll ungesalzene, ungeröstete Cashewnüsse

- ❖ frischer Limettensaft nach Geschmack

ANWEISUNG

1. Alle Zutaten in einen Mixer mit 200 ml Wasser geben und glatt rühren. Wenn es zu dick ist, fügen Sie mehr Wasser (bis zu 400 ml) hinzu, bis Sie die richtige Mischung erhalten.

2. GRÜNE REGENBOGEN-SMOOTHIE-SCHÜSSEL

ZUTATEN

- ❖ 50 g Spinat

- ❖ 1 Avocado, gesteinigt, geschält und halbiert

- ❖ 1 reife Mango, gesteinigt, geschält und in Stücke geschnitten

- ❖ 1 Apfel, entkernt und in Stücke geschnitten

- ❖ 200 ml Mandelmilch

- ❖ 1 Drachenfrucht, geschält und in gleichmäßige Stücke geschnitten

- ❖ 100 g gemischte Beeren (wir haben Erdbeeren, Himbeeren und Blaubeeren verwendet)

ANWEISUNG

1. Den Spinat, die Avocado, die Mango, die Apfel- und Mandelmilch in einen Mixer geben und glatt und dick blitzen. Auf zwei Schalen verteilen und mit den Drachenfrüchten und Beeren belegen.

3. TROPISCHE SMOOTHIE-SCHÜSSEL

ZUTATEN

- ❖ 1 kleine reife Mango, gesteinigt, geschält und in Stücke geschnitten

- ❖ 200 g Ananas, geschält, entkernt und in Stücke geschnitten

- ❖ 2 reife Bananen

- ❖ 2 EL Kokosjoghurt (kein Joghurt mit Kokosgeschmack)

- ❖ 150ml Kokosnusstrinkmilch

- ❖ 2 Passionsfrüchte, halbiert, Samen herausgeschöpft

- ❖ Handvoll Blaubeeren

- ❖ 2 EL Kokosflocken

- ❖ ein paar Minzblätter

ANLEITUNG

1. Mango, Ananas, Bananen, Joghurt und Kokosmilch in einen Mixer geben und glatt und dick blitzen. In zwei Schalen gießen und mit Passionsfrucht, Blaubeeren, Kokosflocken und Minzblättern dekorieren. Wird 1 Tag im Kühlschrank aufbewahrt. Fügen Sie die Beläge kurz vor dem Servieren hinzu.

4. KURKUMA-SMOOTHIE-SCHÜSSEL

ZUTATEN

- ❖ 10 cm frische Kurkuma oder 2 TL gemahlene Kurkuma

- ❖ 3 EL Kokosmilchjoghurt (wir haben Co Yoh verwendet) oder die Sahne, die von der Oberseite der Kokosmilchkonserven abgeschöpft wurde

- ❖ 50 g glutenfreier Hafer

- ❖ 1 EL Cashewbutter (oder eine Handvoll Cashewnüsse)

- ❖ 2 Bananen, geschält und grob gehackt

- ❖ ½ TL gemahlener Zimt

- ❖ 1 EL Chiasamen oder gehackte Nüsse zum Servieren

ANWEISUNG

1. Falls verwendet, die Kurkuma-Wurzel schälen und reiben. Alle Zutaten in einen Mixer mit 600 ml Wasser geben und glatt rühren. In einer Schüssel mit Chiasamen oder gehackten Nüssen bestreuen.

5. CREMIGER MANGO & KOKOS SMOOTHIE

ZUTATEN

- ❖ 200 ml (½ großes Glas) Kokosmilch (wir haben Kara Dairy Free verwendet)

- ❖ 4 EL Kokosmilchjoghurt (wir haben Coyo verwendet)

- ❖ 1 Banane

- ❖ 1 EL gemahlener Leinsamen, Sonnenblumen und Kürbiskerne (wir haben Linwood's verwendet)

- ❖ 120 g (¼ Beutel) gefrorene Mangostücke

- ❖ 1 Passionsfrucht zum Schluss (optional)

ANWEISUNG

1. Messen Sie alle Zutaten oder verwenden Sie ein hohes Glas für die Geschwindigkeit - sie müssen nicht genau sein. In einen Mixer geben und glatt rühren. Gießen Sie in 1 hohes Glas (Sie haben genug für ein Nachfüllen) oder zwei kurze Becher. Schneiden Sie die Passionsfrucht bei Verwendung in zwei Hälften und kratzen Sie die Samen darüber.

6. SUPER BERRY SMOOTHIE

ZUTATEN

- ❖ 450g Beutel gefrorene Beere
- ❖ 450 g fettfreier Erdbeerjoghurt
- ❖ 100 ml Milch
- ❖ 25 g Haferbrei
- ❖ 2 TL Honig (optional)

ANWEISUNG

1. Die Beeren, den Joghurt und die Milch mit einem Stabmixer glatt rühren. Rühren Sie sich durch den Haferbrei, gießen Sie ihn in 4 Gläser und servieren Sie ihn mit einem Spritzer Honig, wenn Sie möchten.

7. BLACKBERRY & ROTE BEETE SMOOTHIE

ZUTATEN

- ❖ 250 ml Kokoswasser

- ❖ Prise gemahlenen Zimt

- ❖ ¼ TL gemahlene Muskatnuss

- ❖ 4cm Stück frischer Ingwer, geschält

- ❖ 1 EL geschälte Hanfsamen

- ❖ 2 kleine gekochte Rote Beete, grob gehackt

- ❖ kleine Handvoll Brombeeren

- ❖ 1 Birne, grob gehackt

- ❖ kleine Handvoll Grünkohl

ANWEISUNG

1. Geben Sie das Kokoswasser mit den Gewürzen und dem frischen Ingwer in Ihren Mixer. Die restlichen Zutaten dazugeben und glatt rühren. Fügen Sie mehr Flüssigkeit hinzu, wenn Sie eine dünnere Konsistenz bevorzugen. In Gläser füllen und servieren.

8.VITAMIN BOOSTER SMOOTHIE

ZUTATEN

- ❖ 1 Orange, geschält und grob gehackt

- ❖ 1 große Karotte, geschält und grob gehackt

- ❖ 2 Stangen Sellerie, grob gehackt

- ❖ 50 g Mango, grob gehackt

- ❖ 200 ml Wasser

- ❖ Methode

ANWEISUNG

1. Geben Sie die gesamte Orange, Karotte, Sellerie und Mango in den Mixer, füllen Sie Wasser nach und blitzen Sie sie glatt.

9.BERRY SMOOTHIE WÜRFEL

ZUTATEN

- ❖ Brombeeren

- ❖ Erdbeeren

- ❖ Himbeeren, Passionsfrucht

- ❖ Mango

- ❖ alle anderen Früchte, die Sie mögen

ANWEISUNG

1. Eine Frucht pürieren (Brombeeren, Erdbeeren, Himbeeren, Passionsfrucht und Mango in einer Küchenmaschine probieren, Pips einwirken lassen oder sieben.

2. In Eisschalen einfrieren (3 pro Portion) mit einer Banane, 150 ml Joghurt und Milch und Honig nach Geschmack.

10.PEACH MELBA SMOOTHIE

ZUTATEN

- ❖ 410 g können Pfirsichhälften pfirsichen

- ❖ 100 g gefrorene Himbeere plus einige zum Garnieren

- ❖ 100 ml Orangensaft

- ❖ 150 ml frischer Pudding sowie ein Löffel zum Garnieren

ANWEISUNG

1. Pfirsiche abtropfen lassen, abspülen und in einen Mixer mit Himbeeren geben. Fügen Sie Orangensaft und frischen Pudding hinzu und rühren Sie zusammen.

2. Über Eis gießen, mit einem weiteren Löffel Pudding und ein paar Himbeeren garnieren. Am besten gekühlt serviert.

11. BANANEN-, CLEMENTINEN- UND MANGO-SMOOTHIE

ZUTATEN

- ❖ ca. 24 saftige Clementine plus eine zusätzliche zur Dekoration

- ❖ 2 kleine, sehr reife und saftige Mangos

- ❖ 2 reife Bananen

- ❖ 500 g Vollmilch oder fettarmer Joghurt

- ❖ Handvoll Eiswürfel (optional)

ANWEISUNG

1. Halbieren Sie die Clementine und drücken Sie den Saft aus - Sie sollten ungefähr 600 ml / 1 Pint haben. (Dies kann in der Nacht zuvor geschehen.) Schälen Sie die Mangos, schneiden Sie die Früchte vom Stein in der Mitte ab und hacken Sie das Fruchtfleisch in grobe Stücke. Die Bananen schälen und in Scheiben schneiden.

2. Clementinensaft, Mangofleisch, Bananen, Joghurt und Eiswürfel in einen Liquidator geben und glatt rühren. In sechs Gläser füllen und servieren. (Je nach Größe Ihres Liquidators müssen Sie dies möglicherweise in zwei Chargen herstellen.) Wenn Sie keine Eiswürfel hinzufügen, kühlen Sie diese bis zum Servieren im Kühlschrank.

12.AÇAÍ SMOOTHIE

ZUTATEN

- ❖ 100 g rohes, gefrorenes, ungesüßtes Açai-Fruchtfleisch, aufgetaut

- ❖ 50 g gefrorene Ananas

- ❖ 100g Erdbeere

- ❖ 1 mittlere Banane

- ❖ 250 ml Mango oder Orangensaft

- ❖ 1 EL Agavennektar oder Honig

ANWEISUNG

1. Alle Zutaten in den Mixer oder eine Küchenmaschine geben. Mixen, bis alles glatt ist. Wenn es zu dick ist, fügen Sie etwas mehr Mango oder Orangensaft hinzu. In 2 großen Gläsern servieren.

13. MANGO & PASSIONSFRUCHT-SMOOTHIE

ZUTATEN

- ❖ 400 g geschälte und gehackte reife Mango

- ❖ 2 x 125 g Töpfe fettfreier Mango-Joghurt

- ❖ 250 ml Magermilch

- ❖ Saft 1 Limette

- ❖ 4 Passionsfrüchte, halbiert

ANWEISUNG

1. Mango, Joghurt und Milch in einem Mixer glatt rühren. Den Limettensaft einrühren und in 4 Gläser füllen. Schaufeln Sie das Fruchtfleisch einer Passionsfrucht in jedes und schwenken Sie es vor dem Servieren.

14. WALDFRUCHT & BANANEN-SMOOTHIE

ZUTATEN

- ❖ gefrorene Früchte des Waldes
- ❖ Banane, in Scheiben geschnitten
- ❖ fettarme Früchte des Waldjoghurts

ANWEISUNG

1. Gefrorene Früchte des Waldes und geschnittene Bananen in einer Küchenmaschine mit fettarmen Früchten des Waldjoghurts verquirlen.

15.SMOOTHIE-GELEES MIT EIS

ZUTATEN

- ❖ 6 Blatt Blattgelatine

- ❖ 1l Flasche Orangen-, Mango- und Passionsfrucht-Smoothie (wir haben Innocent verwendet)

- ❖ Dienen

- ❖ 500 ml Wanne Vanilleeis von guter Qualität wie Green & Black's (möglicherweise brauchen Sie nicht alles)

ANWEISUNG

1. Die Blattgelatine in eine Schüssel geben und mit kaltem Wasser bedecken. Einige Minuten einwirken lassen, bis sie weich und schlapp sind. In der Zwischenzeit den Smoothie vorsichtig in einem Topf erhitzen, ohne zu kochen. Nehmen Sie die Hitze ab. Heben Sie die Gelatine aus dem Wasser, drücken Sie das überschüssige Wasser heraus und geben Sie es in die Smoothie-Pfanne. Gut umrühren, bis alles glatt ist, dann in 12 Formen, Töpfe oder Gläser gießen oder 24 Töpfe in Schnapsglasgröße verwenden. Zum Abbinden mindestens 1 Stunde kalt stellen.

2. Für perfekte Mini-Eiskugeln tauchen Sie einen Esslöffel Messlöffel in eine Tasse heißes Wasser und schütteln Sie den Überschuss ab. Schaufeln

Sie das Eis und tauchen Sie den Löffel jedes Mal in heißes Wasser. Servieren Sie jedes Smoothie-Gelee mit Eis.

16. BANANEN-, HONIG- UND HASELNUSS-SMOOTHIE

ZUTATEN

- ❖ 1 geschälte, geschnittene Banane

- ❖ 250 ml Sojamilch

- ❖ 1 TL Honig

- ❖ ein wenig geriebene Muskatnuss

- ❖ 2 TL gehackte Haselnüsse zum Servieren

ANWEISUNG

1. Die Banane mit Sojamilch, Honig und etwas geriebener Muskatnuss glatt rühren. In zwei große Gläser füllen und mit den gerösteten, gehackten Haselnüssen belegen.

17. FRÜHSTÜCKS-SUPER-SHAKE

ZUTATEN

- ❖ 100 ml Vollmilch
- ❖ 2 EL Naturjoghurt
- ❖ 1 Banane
- ❖ 150g gefrorene Früchte des Waldes
- ❖ 50 g Blaubeeren
- ❖ 1 EL Chiasamen
- ❖ ½ TL Zimt
- ❖ 1 EL Goji-Beeren
- ❖ 1 TL gemischte Samen
- ❖ 1 TL Honig (idealerweise Manuka)

ANWEISUNG

1. Die Zutaten in einen Mixer geben und glatt rühren. In ein Glas gießen und genießen!

18. MANDELMILCH

ZUTATEN

❖ 150g ganze Mandeln

ANWEISUNG

1. Die Mandeln in eine große Schüssel geben und mit Wasser bedecken, dann die Schüssel abdecken und über Nacht oder mindestens 4 Stunden einweichen lassen.

2. Am nächsten Tag die Mandeln abtropfen lassen und abspülen, dann in einen Mixer mit 750 ml kaltem Wasser geben. Alles glatt rühren. Gießen Sie die Mischung über einen Krug in ein mit Musselin ausgekleidetes Sieb und lassen Sie es durchtropfen. Rühren Sie die Mischung vorsichtig mit einem Löffel um, um den Vorgang zu beschleunigen.

3. Wenn der größte Teil der Flüssigkeit in den Krug gelangt ist, sammeln Sie die Seiten des Musselins und drücken Sie sie mit beiden Händen fest zusammen, um den Rest der Milch zu extrahieren.

19. EINFACHER SCHOKOLADENFONDANTKUCHEN

ZUTATEN

- ❖ 150 ml Sonnenblumenöl plus extra für die Dose

- ❖ 175g selbstaufsteigendes Mehl

- ❖ 2 EL Kakaopulver

- ❖ 1 TL Bicarbonat Soda

- ❖ 150 g Puderzucker

- ❖ 2 EL goldener Sirup

- ❖ 2 große Eier, leicht geschlagen

- ❖ 150 ml Magermilch

Für das Sahnehäubchen

- ❖ 100 g ungesalzene Butter

- ❖ 225 g Puderzucker

- ❖ 40 g Kakaopulver

- ❖ 2½ EL Milch (bei Bedarf etwas mehr)

ANWEISUNG

1. Heizen Sie den Ofen auf 180 ° C / 160 ° C (Ventilator / Gas). Mehl, Kakaopulver und Soda-Bicarbonat in eine Schüssel sieben. Den Puderzucker hinzufügen und gut mischen.

2. Machen Sie einen Brunnen in der Mitte und fügen Sie den goldenen Sirup, Eier, Sonnenblumenöl und Milch hinzu. Mit einem elektrischen Schneebesen gut schlagen, bis alles glatt ist.

3. Gießen Sie die Mischung in die beiden Dosen und backen Sie sie 25 bis 30 Minuten lang, bis sie aufgegangen ist und sich fest anfühlt. Aus dem Ofen nehmen und 10 Minuten abkühlen lassen, bevor sie auf ein Kühlregal gestellt werden.

4. Um das Sahnehäubchen zu machen, schlagen Sie die ungesalzene Butter in einer Schüssel, bis sie weich ist. Nach und nach Puderzucker und Kakaopulver sieben und einrühren, dann genug Milch hinzufügen, um die Puderzucker locker und streichfähig zu machen.

5. Sandwich die beiden Kuchen zusammen mit dem Butterglasur und bedecken Sie die Seiten und die Oberseite des Kuchens mit mehr Zuckerglasur.

20.FAUX GRAS MIT TOAST & GURKEN

ZUTATEN

- ❖ 100 g Butter, erweicht

- ❖ 300 g Bio-Hühner- oder Entenleber, geschnitten, gereinigt und trocken getupft

Dienen

- ❖ geschnittene Brioche oder Sauerteig

- ❖ Cornichons

- ❖ Chutney

- ❖ Meersalzflocken

ANWEISUNG

1. Erhitze 50 g Butter in einer Pfanne, bis sie brutzelt, füge die Lebern hinzu und brate sie 4 Minuten lang, bis sie außen gefärbt und in der Mitte leicht rosa sind. Lassen Sie es abkühlen und geben Sie den Inhalt der Pfanne in eine Küchenmaschine oder einen Smoothie-Mixer. Großzügig mit Salz würzen und die restliche Butter hinzufügen. Blitz, bis Sie ein glattes Püree haben, dann in einen Behälter kratzen, glatt streichen und in den Kühlschrank stellen, um mindestens 2 Stunden lang zu kühlen. Kann einen Tag vorher gemacht werden.

2. Zum Servieren Brioche- oder Sauerteigscheiben braten und Cornichons und Chutney in kleine

Töpfe geben. Geben Sie einen großen Löffel in eine Tasse heißes Wasser. Wie beim Servieren von Eis einen Löffel Faux Gras auf jeden Teller schöpfen und den Löffel nach jeder Schaufel ins Wasser tauchen. Streuen Sie ein paar Salzflocken über jede Kugel und servieren Sie sie mit Toast, Cornichons und Chutney.

21. ERDBEER ACAI SMOOTHIE

ZUTATEN

- ❖ Unzen Packung gefroren Acai
- ❖ 1 Banane
- ❖ 1 Tasse Erdbeeren
- ❖ 3/4 Tasse Mandelmilch oder Cashewmilch

ANLEITUNG

1. Alle Zutaten in einen leistungsstarken Mixer geben und glatt rühren.

22. POST WORKOUT GREEN SMOOTHIE

ZUTATEN

- ❖ 2 Tassen gefiltertes Wasser

- ❖ 2 Tassen Babyspinat

- ❖ 1 Banane, in Scheiben geschnitten und gefroren

- ❖ 1 grüner Apfel

- ❖ 1/4 Avocado

- ❖ 2 EL Kollagenpulver

- ❖ 2 EL Proteinpulver

- ❖ 2 EL Chiasamen

ANLEITUNG

1. Alle Zutaten in einen leistungsstarken Mixer geben.

2. 30 Sekunden lang oder glatt rühren.

23.SPICED PERSIMMON SMOOTHIE

ZUTATEN

- ❖ 2 reife Fuyu-Kakis

- ❖ 1 Banane, gefroren

- ❖ 1 Tasse Mandelmilch, Cashewmilch oder eine andere Nussmilch

- ❖ 1/4 TL Ingwer

- ❖ 1/4 TL Zimt

- ❖ Prise gemahlene Nelken

ANLEITUNG

1. Die Kakis waschen und den Stiel abschneiden. Fügen Sie sie zusammen mit allen anderen Zutaten zu einem leistungsstarken Mixer hinzu und mixen Sie sie eine Minute lang.

2. Optional können Sie die Innenseite eines Glases mit einer dünnen Kaki-Scheibe garnieren.

24.GOLDENE RÜBEN-, KAROTTEN- UND TURMERISCHE SMOOTHIE

ZUTATEN

- ❖ 2 goldene Rüben, gehackt

- ❖ 1 große Karotte, gehackt

- ❖ 1 Banane, geschält, in Scheiben geschnitten und gefroren

- ❖ 4 Mandarinen, geschält

- ❖ 1 Zitrone, entsaftet

- ❖ 1/4 TL Kurkumapulver

- ❖ 1 1/2 Tasse kaltes Wasser

OPTIONALES TOPPING

- ❖ geriebene Karotte

- ❖ Hanfsamen

ANLEITUNG

1. Alle Zutaten in einen leistungsstarken Mixer geben und glatt rühren.

2. In Gläser füllen und optionale Beläge hinzufügen

25. SCHOKOLADE COLLAGEN SMOOTHIE

ZUTATEN

- ❖ 2 Tassen Kokosmilch oder andere Milch

- ❖ 1 gefrorene Banane

- ❖ 2 EL Mandelbutter

- ❖ 1/4 Tasse rohes Kakaopulver

- ❖ 2 Messlöffel oder mehr Vitalproteine Collagen Peptides

ANLEITUNG

1. Alle Zutaten in einen leistungsstarken Mixer geben und glatt rühren.

26.CASHEW DATE SHAKE (VEGAN, PALEO)

ZUTATEN

- ❖ 2/3 Tasse rohe Cashewnüsse, 2-4 Stunden eingeweicht

- ❖ 6 Medjool-Datteln, 10 Minuten lang entkernt und eingeweicht

- ❖ 1 Banane, in Scheiben geschnitten und gefroren

- ❖ 3/4 Tasse Wasser

- ❖ 2 Tassen Eis

- ❖ 1 TL Vanilleextrakt

- ❖ 1/4 TL Muskatnuss

- ❖ eine Prise Zimt

- ❖ Prise Meersalz

ANLEITUNG

1. Sobald Ihre Cashewnüsse und Datteln eingeweicht und abgetropft sind, geben Sie sie in einen leistungsstarken Mixer. Fügen Sie die restlichen Zutaten hinzu und mischen Sie alles hoch, bis es dick und cremig ist.

27.DARK CHERRY SMOOTHIE BOWL

ZUTATEN

❖ Tassen gefrorene Kirschen, entkernt

❖ 1 Banane

❖ 1/2 Tasse Kokoswasser

OPTIONALES TOPPING

❖ ganze Kirschen

❖ Kokosnussflocken

❖ gehobelte Mandeln

❖ rohe Kakaonibs

ANLEITUNG

1. Fügen Sie die gefrorenen Kirschen, Bananen und Kokoswasser in einen leistungsstarken Mixer. Mixen, bis alles glatt ist.

2. Gießen Sie die Smoothie-Mischung in eine Schüssel und fügen Sie die Beläge hinzu.

28. PITAYA SMOOTHIE BOWL

ZUTATEN

- ❖ 2 Pitaya Plus-Packungen

- ❖ 1 Banane

- ❖ 4 Erdbeeren

- ❖ 3/4 Tasse Kokoswasser

OPTIONALE TOPPINGS

- ❖ Erdbeeren

- ❖ Kiwi

- ❖ Cashewkerne

- ❖ Kokosnuss

ANLEITUNG

1. Die gefrorene Pitaya, Banane, Erdbeeren und das Kokoswasser in einen leistungsstarken Mixer geben. Eine Minute lang auf hoher Stufe mixen, bis alles gut vermischt ist.

2. Gießen Sie Ihren Pitaya-Smoothie in eine Schüssel und fügen Sie Ihre Beläge hinzu.

29. GESUNDER KAKAO, BANANE, PB SMOOTHIE

ZUTATEN

- ❖ 1 Tasse Milch

- ❖ ½ gehackte gefrorene Banane oder mehr nach Geschmack

- ❖ 2 Esslöffel Erdnussbutter

- ❖ 2 Teelöffel ungesüßtes Kakaopulver

- ❖ 1 Teelöffel Honig

ANWEISUNG

1. Milch, Banane, Erdnussbutter, Kakaopulver und Honig in einem Mixer glatt rühren.

30. KURKUMA LATTE

ZUTATEN

- ❖ 1 Tasse ungesüßte Mandelmilch oder Kokosmilchgetränk

- ❖ 1 Esslöffel geriebene frische Kurkuma

- ❖ 2 Teelöffel reiner Ahornsirup oder Honig

- ❖ 1 Teelöffel geriebener frischer Ingwer

- ❖ Prise gemahlener Pfeffer

- ❖ 1 Prise gemahlener Zimt zum Garnieren

ANLEITUNG

1. Kombinieren Sie Milch, Kurkuma, Ahornsirup (oder Honig), Ingwer und Pfeffer in einem Mixer. Auf hoher Stufe ca. 1 Minute lang sehr glatt verarbeiten. In einen kleinen Topf gießen und bei mittlerer bis hoher Hitze dampfend heiß, aber nicht kochend erhitzen. In einen Becher geben. Nach Belieben mit einer Prise Zimt garnieren.

31.FRUIT & JOGHURT SMOOTHIE

ZUTATEN

- ❖ 3/4 Tasse fettfreier Naturjoghurt

- ❖ 1/2 Tasse 100% reiner Fruchtsaft

- ❖ 1 1/2 Tassen gefrorenes Obst wie Blaubeeren, Himbeeren, Ananas oder Pfirsiche

ANLEITUNG

1. Joghurt mit Saft in einem Mixer glatt pürieren. Fügen Sie bei laufendem Motor Obst durch das Loch im Deckel hinzu und pürieren Sie weiter, bis alles glatt ist.

32.UNICORN SMOOTHIE

ZUTATEN

- ❖ 1 ½ Tassen fettarme Milch, geteilt

- ❖ 1 ½ Tassen fettarmer Vanillejoghurt, geteilt

- ❖ 3 große Bananen, geteilt

- ❖ 1 Tasse gefrorene Brombeeren oder Blaubeeren

- ❖ 1 Tasse gefrorene Mangostücke

- ❖ 1 Tasse gefrorene Himbeeren oder Erdbeeren

- ❖ Sternfrucht, Kiwi, gemischte Beeren und Chiasamen zum Garnieren

ANWEISUNG

1. Kombinieren Sie jeweils eine halbe Tasse Milch und Joghurt, 1 Banane und Brombeeren (oder Blaubeeren) in einem Mixer. Mixen, bis alles glatt ist. Die Mischung auf 4 große Gläser verteilen. In den Gefrierschrank stellen. Spülen Sie den Mixer aus.

2. Kombinieren Sie je 1/2 Tasse Milch und Joghurt, 1 Bananen- und Mangostück im Mixer. Mixen, bis alles glatt ist. Verteilen Sie die Mischung über die lila Schicht in den Gläsern. Stellen Sie die Gläser wieder in den Gefrierschrank. Spülen Sie den Mixer aus.

3. Kombinieren Sie die restlichen 1/2 Tasse Milch und Joghurt, die restlichen Bananen und

Himbeeren (oder Erdbeeren) im Mixer. Mixen, bis alles glatt ist. Verteilen Sie die Mischung über die gelbe Schicht in den Gläsern. Führen Sie einen Spieß um die Kanten, um die Schichten leicht zu verwirbeln.

4. Wenn gewünscht, arrangieren Sie Sternfruchtscheiben, Kiwischeiben und Beeren auf 4 Holzspießen, um jedes Glas zu garnieren. Auf Wunsch mit Chiasamen bestreuen.

33. SCHOKOLADEN-BANANEN-PROTEIN-SMOOTHIE

ZUTATEN

- ❖ 1 Banane, gefroren

- ❖ ½ Tasse gekochte rote Linsen

- ❖ ½ Tasse fettfreie Milch

- ❖ 2 Teelöffel ungesüßtes Kakaopulver

- ❖ 1 Teelöffel reiner Ahornsirup

RICHTUNGEN

1. Kombinieren Sie Banane, Linsen, Milch, Kakao und Sirup in einem Mixer.

2. Pürieren, bis alles glatt ist.

34.CREAMSICLE BREAKFAST SMOOTHIE

ZUTATEN

- ❖ 1 Tasse kaltes reines Kokoswasser ohne Zucker-oder Geschmackszusatz (siehe Tipp)

- ❖ 1 Tasse fettfreier griechischer Vanillejoghurt

- ❖ 1 Tasse gefrorene oder frische Mangostücke

- ❖ 3 Esslöffel gefrorenes Orangensaftkonzentrat

- ❖ 2 Tassen Eis

RICHTUNGEN

1. Kokoswasser, Joghurt, Mango, Orangensaftkonzentrat und Eis in einem Mixer glatt rühren.

35.BERRY-COCONUT SMOOTHIE

ZUTATEN

- ❖ ½ Tasse gekochte rote Linsen (siehe Tipps), abgekühlt

- ❖ ¾ Tasse ungesüßtes Vanille-Kokosmilch-Getränk

- ❖ ½ Tasse gefrorene gemischte Beeren

- ❖ ½ Tasse gefrorene Bananenscheiben

- ❖ 1 Esslöffel ungesüßte Kokosraspeln plus mehr zum Garnieren

- ❖ 1 Teelöffel Honig

- ❖ 3 Eiswürfel

RICHTUNGEN

1. Legen Sie Linsen, Kokosmilch, Beeren, Bananen, Kokosnuss, Honig und Eiswürfel in einen Mixer. 2 bis 3 Minuten auf hoher Stufe mixen, bis alles sehr glatt ist. Nach Belieben mit mehr Kokosnuss garnieren.

36. KAROTTEN-SMOOTHIE

ZUTATEN

- ❖ 1 Tasse geschnittene Karotten

- ❖ ½ Teelöffel fein zerkleinerte Orangenschale

- ❖ 1 Tasse Orangensaft

- ❖ 1 ½ Tassen Eiswürfel

- ❖ 3 (1 Zoll) Stück Orangenschalenlocken

RICHTUNGEN

1. In einem abgedeckten kleinen Topf Karotten in einer kleinen Menge kochendem Wasser etwa 15 Minuten lang oder bis sie sehr zart sind kochen. Gut abtropfen lassen. Cool.

2. Die abgetropften Karotten in einen Mixer geben. Fügen Sie fein zerkleinerte Orangenschale und Orangensaft hinzu. Abdecken und glatt rühren. Eiswürfel hinzufügen; abdecken und glatt rühren. In Gläser füllen. Falls gewünscht, mit Orangenschalenlocken garnieren.

37.HONEYDEW SMOOTHIE BOWL

ZUTATEN

- ❖ 4 Tassen gefrorener gewürfelter Honigtau (1/2-Zoll-Stücke)

- ❖ ½ Tasse ungesüßtes Kokosmilchgetränk

- ❖ ⅓ Tasse grüner Saft wie Weizengras

- ❖ 1 Esslöffel Honig

- ❖ Prise Salz

- ❖ Melonenkugeln, Beeren, Nüsse und / oder frisches Basilikum zum Garnieren

ANLEITUNG

1. Kombinieren Sie Honigtau, Kokosmilch, Saft, Honig und Salz in einer Küchenmaschine oder einem Hochgeschwindigkeitsmixer. Wechseln Sie zwischen Pulsieren und Mischen, halten Sie an, um die Seiten nach Bedarf zu rühren und abzukratzen, bis sie 1 bis 2 Minuten dick und glatt sind. Servieren Sie den Smoothie mit mehr Melone, Beeren, Nüssen und / oder Basilikum, falls gewünscht.

38. ERDNUSSBUTTER & GELEE SMOOTHIE

ZUTATEN

- ❖ ½ Tasse fettarme Milch

- ❖ ⅓ Tasse fettfreier griechischer Joghurt

- ❖ 1 Tasse Babyspinat

- ❖ 1 Tasse gefrorene Bananenscheiben (ca. 1 mittelgroße Banane)

- ❖ ½ Tasse gefrorene Erdbeeren

- ❖ 1 Esslöffel natürliche Erdnussbutter

- ❖ 1-2 Teelöffel reiner Ahornsirup oder Honig (optional)

ANLEITUNG

1. Milch und Joghurt in einen Mixer geben, dann Spinat, Banane, Erdbeeren, Erdnussbutter und Süßstoff (falls verwendet) hinzufügen; mischen, bis glatt.

39.CANTALOUPE SMOOTHIE BOWL

ZUTATEN

- ❖ 4 Tassen gefrorene gewürfelte Melone (1/2-Zoll-Stücke)

- ❖ ¾ Tasse Karottensaft

- ❖ Prise Salz

- ❖ Melonenkugeln, Beeren, Nüsse und / oder frisches Basilikum zum Garnieren

ANLEITUNG

1. Kombinieren Sie Kantalupe, Saft und Salz in einer Küchenmaschine oder einem Hochgeschwindigkeitsmixer. Wechseln Sie zwischen Pulsieren und Mischen, halten Sie an, um die Seiten nach Bedarf zu rühren und abzukratzen, bis sie 1 bis 2 Minuten lang dick und glatt sind. Servieren Sie den Smoothie mit mehr Melone, Beeren, Nüssen und / oder Basilikum, falls gewünscht.

40. JASON MRAZ'S AVOCADO GREEN SMOOTHIE

ZUTATEN

- ❖ 1 ¼ Tassen kaltes ungesüßtes Mandelmilch- oder Kokosmilchgetränk

- ❖ 1 reife Avocado

- ❖ 1 reife Banane

- ❖ 1 süßer Apfel, wie Honeycrisp, in Scheiben geschnitten

- ❖ ½ großer oder 1 kleiner Stielsellerie, gehackt

- ❖ 2 Tassen leicht verpackte Grünkohlblätter oder Spinat

- ❖ 1 1-Zoll-Stück geschälten frischen Ingwer

- ❖ 8 Eiswürfel

ANLEITUNG

1. Milchgetränk, Avocado, Banane, Apfel, Sellerie, Grünkohl (oder Spinat), Ingwer und Eis in einem Mixer glatt rühren.

41.TOFU TROPIC SMOOTHIE

ZUTATEN

- ❖ 2 Tassen gewürfelte gefrorene Mango
- ❖ 1 ½ Tassen Ananassaft
- ❖ ¾ Tasse seidiger Tofu
- ❖ ¼ Tasse Limettensaft
- ❖ 1 Teelöffel frisch geriebene Limettenschale

ANLEITUNG

1. Kombinieren Sie Mango, Ananassaft, Tofu, Limettensaft und Limettenschale in einem Mixer; mischen, bis glatt. Sofort servieren.

42. GUTER SMOOTHIE MIT GRÜNEM TEE

ZUTATEN

- ❖ 3 Tassen gefrorene weiße Trauben

- ❖ 2 verpackte Tassen Babyspinat

- ❖ 1 1/2 Tassen stark gebrühter grüner Tee (siehe Tipp), gekühlt

- ❖ 1 mittelreife Avocado

- ❖ 2 Teelöffel Honig

ANLEITUNG

1. Kombinieren Sie Trauben, Spinat, grüner Tee, Avocado und Honig in einem Mixer; mischen, bis alles glatt ist. Sofort servieren.

43.ORANGE FLACHS SMOOTHIE

ZUTATEN

- ❖ 2 Tassen gefrorene Pfirsichscheiben
- ❖ 1 Tasse Karottensaft
- ❖ 1 Tasse Orangensaft
- ❖ 2 Esslöffel gemahlener Leinsamen (siehe Tipp)
- ❖ 1 Esslöffel gehackter frischer Ingwer

ANLEITUNG

1. Kombinieren Sie Pfirsiche, Karottensaft, Orangensaft, Leinsamen und Ingwer im Mixer; mischen, bis alles glatt ist. Sofort servieren.

44. MEERJUNGFRAU SMOOTHIE BOWL

ZUTATEN

- ❖ 2 gefrorene Bananen, geschält

- ❖ 2 Kiwis, geschält

- ❖ 1 Tasse frische Ananasstücke

- ❖ 1 Tasse ungesüßte Mandelmilch

- ❖ 2 Teelöffel blaues Spirulina-Pulver

- ❖ ½ Tasse frische Blaubeeren

- ❖ ½ kleiner Fuji-Apfel, in dünne Scheiben geschnitten und in 1-Zoll-Blütenformen geschnitten

ANLEITUNG

1. Kombinieren Sie Bananen, Kiwis, Ananas, Mandelmilch und Spirulina in einem Mixer. Hoch mischen, bis alles glatt ist, ca. 2 Minuten.

2. Den Smoothie auf 2 Schalen verteilen. Top mit Blaubeeren und Äpfeln.

45. MANDEL-MATCHA GREEN SMOOTHIE BOWL

ZUTATEN

- ❖ ½ Tasse gefrorene Bananenscheiben
- ❖ ½ Tasse gefrorene Pfirsichscheiben
- ❖ 1 Tasse frischer Spinat
- ❖ ½ Tasse ungesüßte Mandelmilch
- ❖ 5 Esslöffel Mandelblättchen, geteilt
- ❖ 1 ½ Teelöffel Matcha Teepulver
- ❖ 1 Teelöffel Ahornsirup
- ❖ ½ reife Kiwi, gewürfelt

ANLEITUNG

1. Mischen Sie Banane, Pfirsiche, Spinat, Mandelmilch, 3 Esslöffel Mandeln, Matcha und Ahornsirup in einem Mixer, bis sie sehr glatt sind.

2. Gießen Sie den Smoothie in eine Schüssel und belegen Sie ihn mit Kiwi und den restlichen 2 Esslöffeln Mandelblättchen.

46.UNICORN SMOOTHIE

ZUTATEN

- ❖ 1 ½ Tassen fettarme Milch, geteilt

- ❖ 1 ½ Tassen fettarmer Vanillejoghurt, geteilt

- ❖ 3 große Bananen, geteilt

- ❖ 1 Tasse gefrorene Brombeeren oder Blaubeeren

- ❖ 1 Tasse gefrorene Mangostücke

- ❖ 1 Tasse gefrorene Himbeeren oder Erdbeeren

- ❖ Sternfrucht, Kiwi, gemischte Beeren und Chiasamen zum Garnieren

ANLEITUNG

1. Kombinieren Sie jeweils eine halbe Tasse Milch und Joghurt, 1 Banane und Brombeeren (oder Blaubeeren) in einem Mixer. Mixen, bis alles glatt ist. Die Mischung auf 4 große Gläser verteilen. In den Gefrierschrank stellen. Spülen Sie den Mixer aus.

2. Kombinieren Sie je 1/2 Tasse Milch und Joghurt, 1 Bananen- und Mangostück im Mixer. Mixen, bis alles glatt ist. Verteilen Sie die Mischung über die lila Schicht in den Gläsern. Stellen Sie die Gläser wieder in den Gefrierschrank. Spülen Sie den Mixer aus.

3. Kombinieren Sie die restlichen 1/2 Tasse Milch und Joghurt, die restlichen Bananen und

Himbeeren (oder Erdbeeren) im Mixer. Mixen, bis alles glatt ist. Verteilen Sie die Mischung über die gelbe Schicht in den Gläsern. Führen Sie einen Spieß um die Kanten, um die Schichten leicht zu verwirbeln.

4. Wenn gewünscht, arrangieren Sie Sternfruchtscheiben, Kiwischeiben und Beeren auf 4 Holzspießen, um jedes Glas zu garnieren. Auf Wunsch mit Chiasamen bestreuen.

47. DREIFACHER MELONEN-SMOOTHIE

ZUTATEN

- ❖ ½ Tasse gehackte Wassermelone

- ❖ ½ Tasse gehackte reife Melone

- ❖ ½ Tasse gehackte reife Honigmelone

- ❖ ¼ Tasse gewürfelte Avocado

- ❖ 6 Eiswürfel

- ❖ Limettensaft auspressen

ANLEITUNG

1. Kombinieren Sie Wassermelone, Melone, Honigtau, Avocado, Eis und Limettensaft in einem Mixer. Pürieren, bis alles glatt ist.

48.CITRUS BERRY SMOOTHIE

ZUTATEN

- ❖ 1 ¼ Tassen frische Beeren
- ❖ ¾ Tasse fettarmer Naturjoghurt
- ❖ ½ Tasse Orangensaft
- ❖ 2 Esslöffel fettfreie Trockenmilch
- ❖ 1 Esslöffel gerösteter Weizenkeim
- ❖ 1 Esslöffel Honig
- ❖ ½ Teelöffel Vanilleextrakt

ANLEITUNG

1. Beeren, Joghurt, Orangensaft, Trockenmilch, Weizenkeime, Honig und Vanille in einen Mixer geben und glatt rühren.

49. WASSERMELONEN-KURKUMA-SMOOTHIE

ZUTATEN

- ❖ 4 Tassen Wassermelonenstücke, entkernt

- ❖ ½ Tasse Wasser

- ❖ 3 Esslöffel Zitronensaft

- ❖ 3 Esslöffel grob gehackter geschälter frischer Ingwer

- ❖ 3 Esslöffel grob gehackte geschälte frische Kurkuma (siehe Tipp) oder 1 Teelöffel gemahlen

- ❖ 4 Teelöffel Honig

- ❖ 1 Teelöffel Kokosnussöl extra vergine

- ❖ gemahlener Pfeffer

ANLEITUNG

1. Kombinieren Sie Wassermelone, Wasser, Zitronensaft, Ingwer, Kurkuma, Honig, Öl und Pfeffer in einem Mixer. Etwa 1 Minute pürieren, bis alles glatt ist.

50. WIRKLICH GRÜNER SMOOTHIE

ZUTATEN

- ❖ 1 große reife Banane

- ❖ 1 Tasse verpackter Babykohl oder grob gehackter reifer Grünkohl

- ❖ 1 Tasse ungesüßte Vanille-Mandelmilch

- ❖ ¼ reife Avocado

- ❖ 1 Esslöffel Chiasamen

- ❖ 2 Teelöffel Honig

- ❖ 1 Tasse Eiswürfel

ANLEITUNG

1. Kombinieren Sie Banane, Grünkohl, Mandelmilch, Avocado, Chiasamen und Honig in einem Mixer. Hoch einrühren, bis es cremig und glatt ist. Eis hinzufügen und glatt rühren.

FAZIT

Egal, ob Sie nach einer Möglichkeit suchen, Ihrer täglichen Ernährung etwas Nahrung hinzuzufügen oder mehr über Smoothies zu erfahren, um mit Ihrer ersten Reinigung zu beginnen, Sie haben jetzt einige ausgezeichnete Rezepte und Tipps, die Ihnen den Einstieg erleichtern. Denken Sie jedoch daran, dies als allgemeine Anleitung zu verwenden. Sobald Sie den Dreh raus haben, können Sie Ihre eigenen Mischungen zusammenstellen, die Ihrem Geschmack und Ihren Gesundheitszielen entsprechen.

CPSIA information can be obtained
at www.ICGtesting.com
Printed in the USA
BVHW010951200521
R12259500001B/R122595PG607359BVX00028B/23